编者的话

亲爱的小朋友：

　　新学期开始了，还记得 　　　　 吗？他们继续陪你一起探索数学。数学就在你身边，数学伴随你成长！

　　小朋友们，准备好了吗？让我们一起进入神奇的数学王国吧！

编者

2012 年 8 月

目 录

义务教育教科书

数学

一年级

下册

人民教育出版社 课程教材研究所 ｜编著
小学数学课程教材研究开发中心

人民教育出版社
·北京·

主　编：卢　江　杨　刚
副主编：王永春　陶雪鹤

义务教育教科书

数　学

一年级　下册

人民教育出版社　课程教材研究所
小学数学课程教材研究开发中心 编著

*

人民教育出版社 出版发行

网址：http://www.pep.com.cn

北京世知印务有限公司印装　全国新华书店经销

*

开本：787 毫米 ×1 092 毫米　1/16　印张：7　字数：140 000
2012 年 10 月第 1 版　2012 年 11 月第 1 次印刷
ISBN 978-7-107-25354-6　定价：7.05 元

1 认识图形（二）

长方形	正方形	平行四边形

三角形	圆

1. 说一说，你身边哪些物体的面是你学过的图形？

台历的这个地方是三角形的。

开关的面是正方形的。

2. 画出自己喜欢的图形。

2 拼一拼。

用两个同样的三角形可以拼成一个平行四边形。

用两个这样的长方形可以拼成一个正方形……

用 4 个  和 4 个  拼一拼。

你还能拼出什么图形？

3 用一套七巧板拼三角形，看谁拼得多。

知道了什么？

一套七巧板有7块，1个 ■ 、1个 ▱ ……

小明

拼三角形，看谁拼得多。

小丽

每人用一套七巧板拼。

怎样拼呢？

用两个这样的三角形可以拼一个新的三角形。

我用一个正方形和两个三角形拼成一个新的三角形。

还可以怎样拼？

小明拼的：

小丽拼的：

谁拼得多？

做一做

你能用一套七巧板拼几个长方形？

◎ **你知道吗？** ◎

"七巧板"是我国古代的一种拼板玩具，由7块板组成，拼出来的图案变化万千。

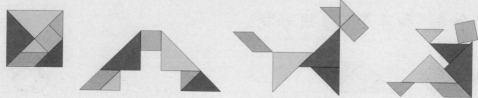

练 习 一

1. 涂一涂。

2. 把各种图形的序号填在（　）里。

① ② ③ ④ ⑤ ⑥

▭（　　　）　▢（　　　）　▱（　　　）

3.

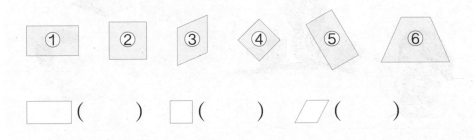

▭（　）个

▢（　）个

△（　）个

◯（　）个

▱（　）个

4.（1）将一张正方形纸对折后剪开，你能发现什么？

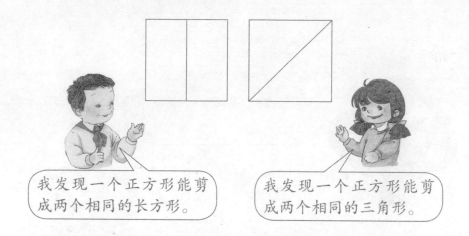

我发现一个正方形能剪成两个相同的长方形。

我发现一个正方形能剪成两个相同的三角形。

（2）用几张正方形纸剪一剪、贴一贴，再涂上色。你能做出漂亮的图案吗？

这是我做的小鱼。

我做了一架飞机。

5.

缺了（　　）块 ▬▬▬ 。

6. 用哪个物体可以画出左边的图形？请把它圈起来。

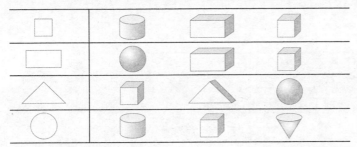

7. 右边的图形是长方体的哪个面？用线连起来。

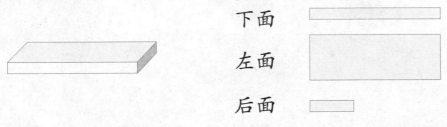

下面

左面

后面

8. 折一折，用  做一个 ，"4" 的对面是 "（　）"。

把一张长方形纸剪成大小相等的两块，你能想出几种剪法？

本单元结束了，你想说些什么？

成长小档案

★

我会用平面图形拼出好看的图案。

我发现有的物体的表面是平面图形。

十几减 9

1

15 - 9 = □

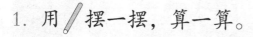

10 - 9 = 1
1 + $\boxed{5}$ = $\boxed{6}$

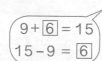
9 + $\boxed{6}$ = 15
15 - 9 = $\boxed{6}$

你是怎样计算的?

做一做

1. 用 ╱ 摆一摆,算一算。

11 - 9 = □   16 - 9 = □

2. 圈一圈,算一算。

14 - 9 = □   17 - 9 = □

3. 用你喜欢的方法计算。

13 - 9 =   12 - 9 =   19 - 9 =   18 - 9 =

1.
$9+4=\square$

$13-9=\square$

$9+5=\square$

$14-9=\square$

2. 送信。

3. 移动 9 ，从卡片上的数里减去它。

9 →

4. 先说得数，再写算式。

```
    2   6
 9         8
     +9
 4         5
    7   3
```

```
   11   14
 13         17
      -9
 18         12
   16   15
```

5.
$11-9=$ 　　$15-5=$ 　　$17-9=$

$14-9=$ 　　$12-9=$ 　　$19-9=$

$18-10=$ 　　$17-4=$ 　　$16-2=$

6.

第一组植树 8 棵。

第二组植树 9 棵。

两个小组一共植树多少棵？

□ ○ □ = □ （棵）

7. $17-9+2=$ $12-9-3=$ $19-9-6=$

$6+5-9=$ $7+8-9=$ $18-5-9=$

8.

我们一共收了 16 个
胡萝卜，分给你 9 个。

你还剩几个？

□ ○ □ = □ （个）

9.

今天我一共要编 14
个，已经编好了 9 个。

还要编几个？

□ ○ □ = □ （个）

我们一共有
10 个男生。

老师让相邻两个男生
之间站一个女生。

一共可以站进多少个女生？

2

我们要买8个。

一共有12个风车。

还剩几个？

$$12-8=\boxed{}$$

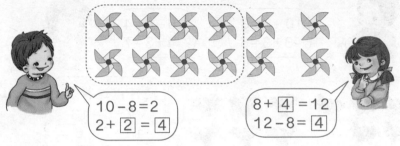

$10-8=2$
$2+\boxed{2}=\boxed{4}$

$8+\boxed{4}=12$
$12-8=\boxed{4}$

做一做

1. 圈一圈，算一算。

$$16-8=\boxed{} \qquad\qquad 15-8=\boxed{}$$

2. $8+5=$ $8+3=$ $8+6=$

    $13-8=$ $11-8=$ $14-8=$

3. 用你喜欢的方法计算。

    $10-8=$ $13-8=$ $16-8=$

    $11-8=$ $14-8=$ $17-8=$

    $12-8=$ $15-8=$ $18-8=$

13 条金鱼，黑的有 7 条，红的有 □ 条。

13 条金鱼，红的有 6 条，黑的有 □ 条。

$13-7=$ □ $13-6=$ □

$10-7=3$
$3+3=6$

$10-6=4$
$4+3=7$

还可以这样算：
$7+6=13$
$13-7=6$
$13-6=7$

 做一做

1.

$14-$ □ $=$ □ $15-$ □ $=$ □
$14-$ □ $=$ □ $15-$ □ $=$ □

2. $8+9=$ $9+6=$ $7+9=$
   $17-8=$ $15-9=$ $16-7=$
   $17-9=$ $15-6=$ $16-9=$

3. $7+$ □ $=11$ $8+$ □ $=13$ □ $+6=12$
   $11-7=$ □ $13-8=$ □ $12-6=$ □

練習 三

1.

2. 移动 ⑧ ，从卡片上的数里减去它。

10−8=2

| 10 | 13 | 16 | 9 | 11 | 17 | 12 | 14 | 18 | 15 |

8 →

3. 先说得数，再写算式。

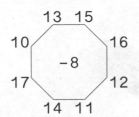
13 15
10   16
    −8
17   12
14 11

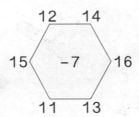
12 14
15   −7   16
11 13

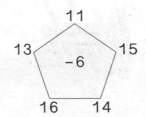
11
13   15
    −6
16   14

4. 看谁都能算对。

12−7=	18−9=	14−6=
11−8=	16−7=	8+9=
13−6=	7+5=	11−6=
15−7=	17−8=	15−9=

5. 在○里填上"＞""＜"或"＝"。

16−8○9   14−7○6   12−6○6
15−8○5   13−7○7   11−6○8

6.

| 14 - 8 |
| 12 - 7 |
| 15 - 8 |
| 17 - 9 |
| 13 - 6 |

| 5 |
| 6 |
| 7 |
| 8 |

| 12 - 6 |
| 15 - 7 |
| 13 - 9 |
| 14 - 7 |
| 13 - 8 |

| 11 - 6 |
| 16 - 9 |
| 14 - 6 |
| 13 - 7 |
| 11 - 7 |

7. 红星公司汽车出租情况如下。

	原有	出租	还剩
	11 辆	6 辆	_____ 辆
	15 辆	7 辆	_____ 辆
	18 辆	9 辆	_____ 辆

8. 一共有 12 根木头，大象运走了 □ 根，还剩几根？

□ ○ □ = □ （根）

9. 14 - 7 + 5 =   17 - 8 - 7 =   9 + 5 + 4 =

11 + 4 - 8 =   12 - 6 + 8 =   13 - 9 + 9 =

10. 一共有 15 只鸭子。

左边 7 只，右边几只？

□ - □ = □ （只）

白鸭子 6 只，灰鸭子几只？

□ - □ = □ （只）

4

12 − 5 = ☐   11 − 4 = ☐

12 − 4 = ☐   11 − 3 = ☐

12 − 3 = ☐   11 − 2 = ☐

你是怎样计算的？

做一做

5 + ☐ = 13   4 + ☐ = 13   5 + ☐ = 14   5 + ☐ = 11

13 − 5 = ☐   13 − 4 = ☐   14 − 5 = ☐   11 − 5 = ☐

用 1~9 这九个数填一填。你能组成多少组这样的算式（每个算式只有 1 可以重复使用）？

| 1 | 5 | − | 6 | = | 1 | 7 | − | 8 |

☐ ☐ − ☐ = ☐ ☐ − ☐

☐ ☐ − ☐ = ☐ ☐ − ☐

数学游戏

找出得数相同的卡片来。

13 − 6   12 − 5   2   15 − 7   19   7   15 − 5   19 − 9   9   11 − 5   15 − 9   14 − 6   14 −   13 − 7   18 − 6   16 − 4

练 习 四

1.

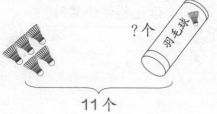   

11个　　　　　　　　　　　13个

□ ○ □ = □（个）　　　　　□ ○ □ = □（个）

2. 先说得数，再写算式。

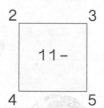

```
2        3
  ┌──────┐
  │ 11-  │
  └──────┘
4        5
```

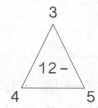

```
    3
   △
  12-
 4     5
```

```
        4
13- <
        5
```

3.

11- $\begin{array}{|c|} 3 \\ 4 \\ 5 \end{array}$ = □□□

13- $\begin{array}{|c|} 6 \\ 7 \\ 8 \end{array}$ = □□□

15- $\begin{array}{|c|} 7 \\ 8 \\ 9 \end{array}$ = □□□

4.

12只"小鸡"，我已捉住5只，还有几只？

□ ○ □ = □（只）

5.
11-3=　　　　12-6=　　　　13-7=
12-8=　　　　11-2=　　　　14-5=
13-4=　　　　12-9=　　　　19-8=

6. 小动物喜欢吃什么？

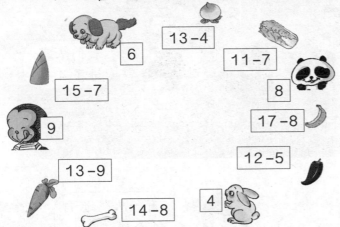

6
13－4
11－7
8
15－7
17－8
9
12－5
13－9
14－8
4

7. $4+8+6=$

$11-3-3=$

$15-7+6=$

$5+4+7=$

$8+7-9=$

$19-5-8=$

$12-4+5=$

$17-2+4=$

8. 下面每组算式卡片的得数相同，你能填出被遮住的数吗？

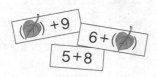

9.

（1）一共摘了 13 个桃子。吃了 9 个，还剩几个？

□○□＝□（个）

（2）一共有 13 只猴子。树上有□只，树下有几只？

□○□＝□（只）

10. 算一算，连一连。

我要选差是 5 的两棵菜。

小兔可以选哪两棵白菜？

5 有16人来踢球。

现在来了9人。

我们队踢进了4个。

还有几人没来？

 知道了什么？

一共有16人来踢球，已经来了9人。

有一队踢进了4个球。

要求"还有几人没来"。

 怎样解答？

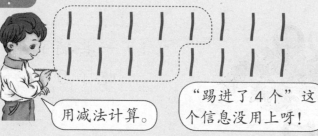

用减法计算。

"踢进了4个"这个信息没用上呀！

16−9=7（人）

解答正确吗？

没来的7人加上9人等于16人，解答正确。

口答：还有 ☐ 人没来。

 做一做

小明家有14只鸡和5只鸭。公鸡有6只，母鸡有几只？

☐ ○ ☐ = ☐ （　　）

20

小华比小雪多套中几个?

小华套中了 □ 个。
小雪套中了 □ 个。

要解决的问题是……

怎样解答?

多 5 个。

摆摆看。

小雪: ○○○○○○○
小华: ●●●●●●● ┊ ●●●●●

用减法计算。

$12-7=5$（个）

解答正确吗?

口答:小华比小雪多套中 □ 个。

想一想:小雪比小华少套中几个?

哦,小雪比小华少套中几个,
就是小华比小雪多套中几个。

做一做

小林家养了 15 只兔
和 9 只羊。兔比羊多几只?
羊比兔少几只?

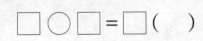

□ ○ □ = □ （　　）

1. 每人写 15 个大字。

我写了 7 个，还要写□个。你呢？

我还要写 6 个字，你猜我写了几个？

□ ○ □ = □（　　）　　　□ ○ □ = □（　　）

2.

两个小组一共有 13 人，我们组有 6 人。

我们已经走了 15 分钟了。

另一组有几人？

□ ○ □ = □（　　）

3. 看谁都能算对。

11−2=	8+6=	16−8=	13−4=
9+7=	13−7=	11−6=	15−7=
14−8=	15−9=	12−5=	11−3=
12−4=	14−6=	17−9=	4+8=

4.

我们班一共有 20 人，有 14 人在玩捉迷藏。

外面有 6 人，藏起来几人？

□ ○ □ = □（　　）

5. 上午摘了 13 箱，下午摘了 8 箱。 上午比下午多摘了几箱？

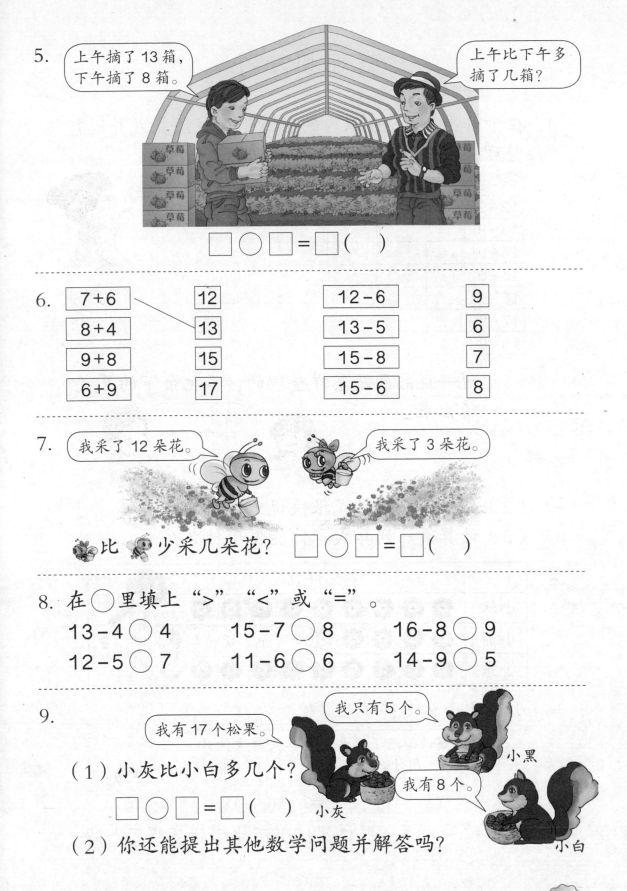

　　　□ ○ □ = □ （　　）

6.

7+6		12
8+4		13
9+8		15
6+9		17

12-6		9
13-5		6
15-8		7
15-6		8

7. 我采了 12 朵花。　　　我采了 3 朵花。

　　比 　　少采几朵花？　　□ ○ □ = □ （　　）

8. 在 ○ 里填上 "＞" "＜" 或 "＝"。

13-4 ○ 4　　　　15-7 ○ 8　　　　16-8 ○ 9

12-5 ○ 7　　　　11-6 ○ 6　　　　14-9 ○ 5

9. 我有 17 个松果。　　我只有 5 个。　　我有 8 个。　　小黑

（1）小灰比小白多几个？　　　　小灰

　　　□ ○ □ = □ （　　）

（2）你还能提出其他数学问题并解答吗？　　　小白

整理和复习

1. 在卡片上写出 20 以内的所有退位减法算式并进行整理，说一说自己是怎样整理的。

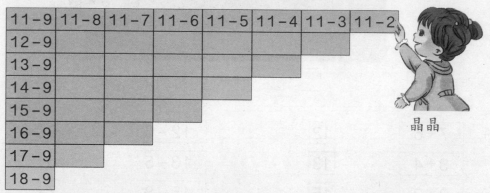

11-9	11-8	11-7	11-6	11-5	11-4	11-3	11-2
12-9							
13-9							
14-9							
15-9							
16-9							
17-9							
18-9							

晶晶

（1）说一说晶晶是怎样整理的，再把余下的算式填出来。

竖着看，第一列……

横着看……

（2）任意指一道算式很快说出得数。

（3）计算第一列算式，你能发现什么？

2.

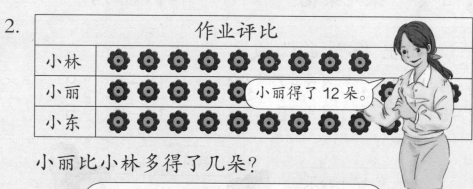

作业评比		
小林	🌸🌸🌸🌸🌸🌸🌸🌸	
小丽	🌸🌸🌸🌸🌸🌸	小丽得了 12 朵。 🌸
小东	🌸🌸🌸🌸🌸🌸🌸🌸🌸🌸	

小丽比小林多得了几朵？

说一说知道了哪些信息，要解决什么问题，用什么方法解答。

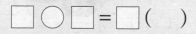

□ ○ □ = □ （　　）

口答：小丽比小林多得了□朵。

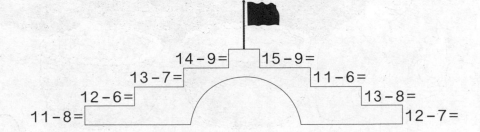

练 习 六

1.

14－9＝ 15－9＝
13－7＝ 11－6＝
12－6＝ 13－8＝
11－8＝ 12－7＝

2. 把差是 6、7……的算式一组一组地说出来。

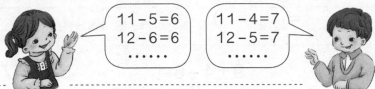

11－5＝6   11－4＝7
12－6＝6   12－5＝7
……   ……

3.

13－6＝   8＋7＝   13－5＝
16－8＝   15－6＝   7＋9＝
15－7＝   14－5＝   6＋6＝
12－5＝   14－6＝   12－9＝

4.

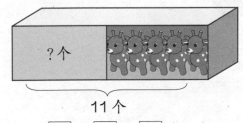

?个   11个   13支

□－□＝□（ ）   □－□＝□（ ）

5. 我们一共折了 14 只纸船，其中黄色的有 6 只。

我折了 8 只。

小月   小军

小月折了几只？

□○□＝□（ ）

25

6.

今天我收了7棵🥕，14棵🥬。

（1）🥕比🥬少几棵？　　（2）🥬比🥕多几棵？

□○□=□（　）　　　　□○□=□（　）

7.　17-8-3=　　　　9+4-6=　　　　5+4+7=

11-6+7=　　　　5+9-8=　　　　8+7-9=

8. 下面是育英学校今年植树的棵数。

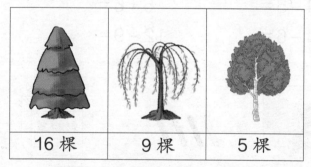

| 16棵 | 9棵 | 5棵 |

（1）🌲比🌳多几棵？

（2）你还能提出其他数学问题并解答吗?

本单元结束了，你想说些什么？

我知道○比△多2个，也就是△比○少2个。

○○○○○
△△△

成长小档案
★★

我可以想加法来算减法。

3 分类与整理

还可以怎样分?

2

分两组做游戏，他们可以怎样分组呢？

我按大人和孩子分。

我按男、女分。

可以把分类的结果整理在表中。

	大人	孩子
人数	8	4

	男	女
人数	6	6

还可以怎样分？

做一做

如果全班同学分成两组，可以怎样分？你能在表中把分组的结果表示出来吗？

练 习 七

1. 把车涂上颜色。

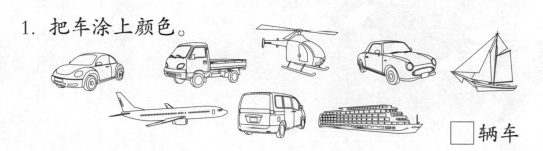

☐ 辆车

2.

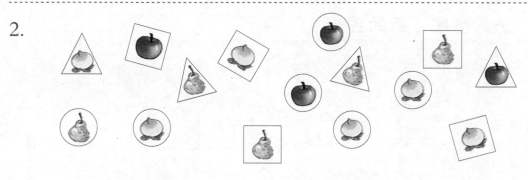

（1）按水果的种类分一分，
在下面涂一涂、填一填。

（2）按卡片的形状分一分，
在下面涂一涂、填一填。

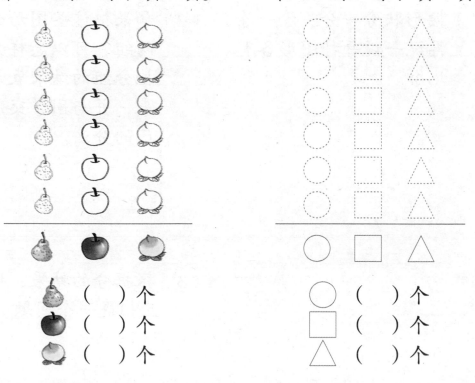

🍐 （　）个

🍎 （　）个

🍑 （　）个

◯ （　）个

☐ （　）个

△ （　）个

3. 按树叶的种类分一分, 再涂一涂、填一填。

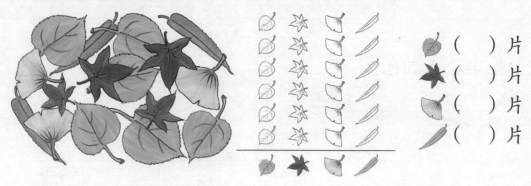

( ) 片
( ) 片
( ) 片
( ) 片

4. 分类整理下面的图形。

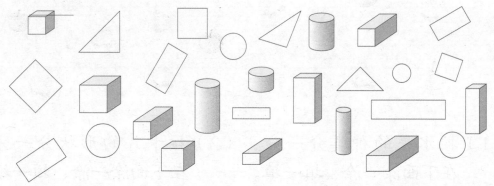

（1）按形状分一分、涂一涂,
再说一说每种图形各有
几个。

（2）如果把这些图形分成
两组, 可以怎样分?
把分组的结果表示出
来, 并与同学交流自
己的分法。

（3）根据分的结果, 同桌
互相提一个问题。

5.

（1）将这些动物分成两组，可以怎样分？把分组的结果表示出来。

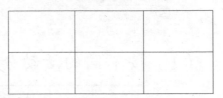

（2）你能提出什么数学问题？

---

6. 一（1）班同学最喜欢的小动物的情况如下图。

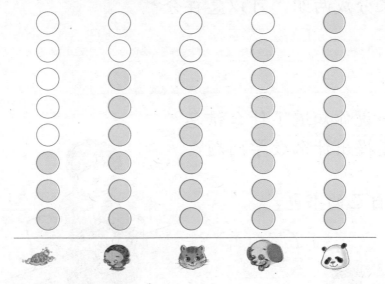

根据上图填写下表。

人数					

根据上面的统计结果回答问题。

（1）喜欢什么动物的人数最多？

（2）喜欢哪两种动物的人数同样多？

（3）你能提出什么数学问题？

7. 给这些同学分类。

（1）按不同的活动分一分，填写下表。

	打乒乓球	踢足球	踢毽	跳绳
人数				

（2）如果分成两组，可以怎样分？

（3）说一说你知道了什么信息。

（4）你能提出什么数学问题？

---

8. 整理一下自己的书包。

你是怎样整理的？

本单元结束了，
你想说些什么？

用图表表示分类的
结果真清楚啊！

成长小档案
★★★

分类的标准不同，
分类的结果就不同。

4　100 以内数的认识

数数 数的组成

1 数一数。

一、二、三……二十九
添 1 是三十……

一、二、三……
五十二……

一、二、三……
二十、二十一……

二十二、二十三……
九十九添 1 是一百。

10 个十是一百。

十根十根地数，10 个十是一百。

做一做

1. 数小棒。

   从五十七数到六十三，再接着数到七十二。

2. 数一数小猪吹了多少个泡泡。

2

七十。

是 7 个十。

4 个十和 6 个一。

是四十六。

做一做

三十五是（　　）个十和（　　）个一组成的。

每种颜色的纽扣各有多少粒?

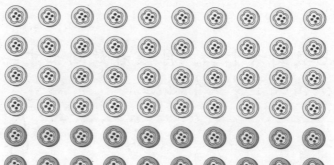

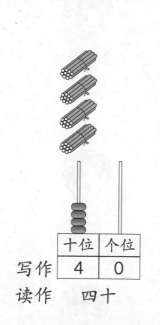 ⊛有四十粒, ⊛有二十七粒, ⊛有三十三粒。

这些数怎样读写呢?

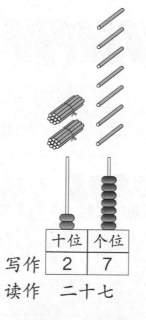

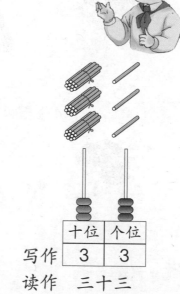

	十位	个位
写作	4	0

读作　　四十

	十位	个位
写作	2	7

读作　　二十七

	十位	个位
写作	3	3

读作　　三十三

两个"3"的意思一样吗?

三种颜色的纽扣一共多少粒？

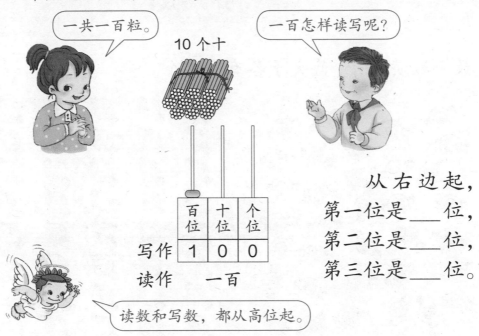

一共一百粒。

10 个十

一百怎样读写呢？

从右边起，
第一位是＿＿位，
第二位是＿＿位，
第三位是＿＿位。

百位	十位	个位
1	0	0

写作

读作　　一百

读数和写数，都从高位起。

做一做

1.

六十九。

百位	十位	个位
	6	9

2. 写出计数器上的数并读出来。

百位	十位	个位

_____

百位	十位	个位

_____

百位	十位	个位

_____

1. 数一数黄夹子、蓝夹子各有多少个。

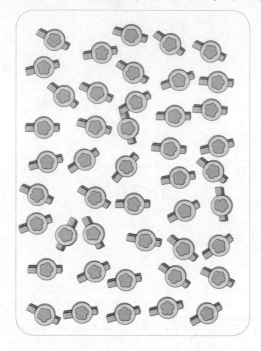 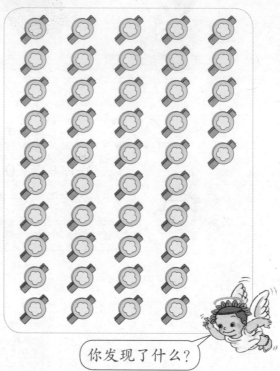

你发现了什么？

2. 先圈出 10 颗，再估一估共有多少颗。

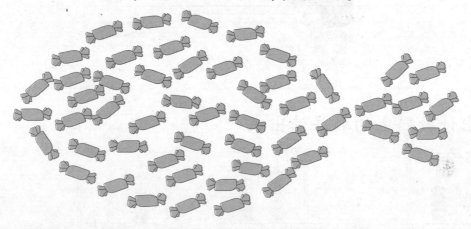

3. 在下面各数的后面连续数出 5 个数来。

二十六   五十八   七十九   八十七   九十五

4. 数一数，填一填。

（　　）个十和（　　）个一

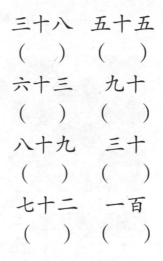

（　　）个十和（　　）个一

5. 你能读出下面的数吗？

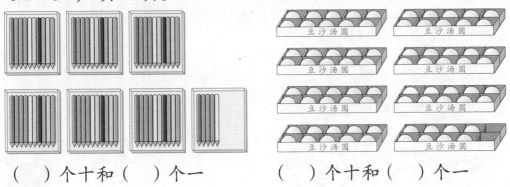

6. 写出下面各数。

三十八　　五十五
（　　）　　（　　）

六十三　　九十
（　　）　　（　　）

八十九　　三十
（　　）　　（　　）

七十二　　一百
（　　）　　（　　）

7. 按要求写数。

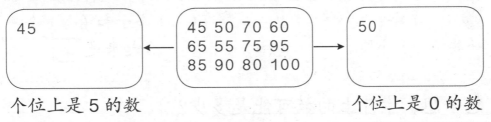

| 45 | 45 50 70 60 65 55 75 95 85 90 80 100 | 50 |

个位上是 5 的数　　　　　个位上是 0 的数

8. （1）本班有同学（　　）人。

（2）教室里有（　　）张桌子，（　　）把椅子。

（3）今年十月一日是中华人民共和国成立（　　）周年。

（4）我国有（　　）个民族。

9. 数出 38 个哨子并圈起来。

 你是怎样数的?

10.

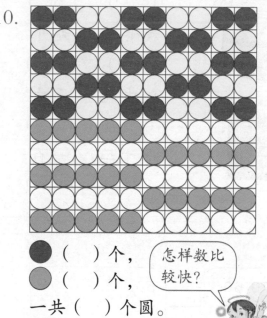

● ( ) 个,
● ( ) 个,
一共 ( ) 个圆。

 怎样数比较快?

11.

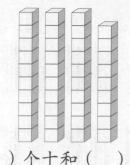

( ) 个十和 ( ) 个一
合起来是 □

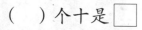

39 添 1 是 ( ) 个十
( ) 个十是 □

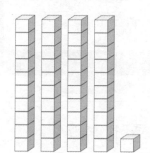

( ) 个十和 ( ) 个一
合起来是 □

12. 想一想,卡片上的数可能是多少?

个位上的数和十位
上的数合起来是9。

可能是 18,还
可能是……

40

数的顺序　比较大小

4 按照数的顺序，在空格里填数。

	2		4		6		8		10
11		13		15		17		19	
	22						28		
		33			37				
			44		46				
				55					
			64		66				
		73							
	82						88		
91								99	

（1）给十位是 3 的数涂上绿色；个位是 3 的数涂上黄色；个位和十位数字相同的数涂上粉色。

（2）你能从表里发现哪些有趣的排列？

横着看，第 2 行的前 9 个数十位上都是 1，第 3 行……

竖着看，第 1 列的个位上都是 1，第 2 列……

（3）第 4 行第 8 个数是多少？第 5 行第 8 个数是多少？

按照上表中的排列，在下面的空格中填上适当的数。

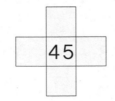

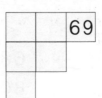

5

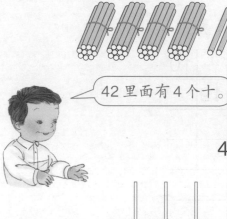

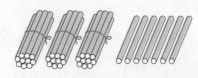
42 里面有 4 个十。

37 里面有 3 个十。

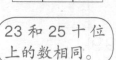
42 ⊙ 37

23 和 25 十位上的数相同。

这样的数怎样比较大小呢?

23 ⊙ 25

做一做

1. 在○里填上 ">" "<" 或 "="。

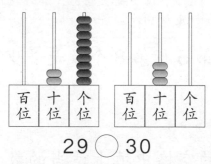
29 ○ 30

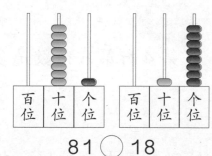
81 ○ 18

2. 在○里填上 ">" "<" 或 "="。

41 ○ 45　　　68 ○ 78　　　69 ○ 69

57 ○ 56　　　80 ○ 90　　　98 ○ 89

红球 58 个　　　蓝球 15 个　　　黄球 10 个

红球比蓝球
多得多。

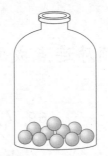

黄球比蓝球
少一些。

红球和黄球比呢？

做一做

25 个　　　　　30 个　　　　　65 个

用"多一些、少一些、多得多、少得多"说一说。

练 习 九

1. 按顺序连点成画。

73 74 75 76 72 71 77 69 70 65 78 68 67 66 64 63 79 62 80 24 23 25 59 60 61 81 22 26 27 21 28 29 58 31 30 57 32 33 56 47 54 46 45 36 34 53 55 48 35 52 49 44 38 50 43 37 39 51 42 41 40

2.

70　71　72　□　□　□　76　□　□　79　□

77 更接近 70 还是更接近 80？ 72 呢？

3. 送信。

大于 60 的数

小于 60 的数

4. 在合适的答案下面画"✓"。

我吃的比你多得多。

我吃的比你少一些。

小豆

小绿   小跳

我吃了35只害虫。

和各吃了多少只害虫?

	80	40	28

5. 按要求把卡片放在___上。

58

98   60

79

38

___ < ___ < ___ < ___ < ___

◎ 数学游戏 ◎

猜一猜,瓶子里有多少个珠子?

是 50 个吗?

不对,少了。

是 70 个吗?

多了。

是 60 个吗?

比 60 少一些。

是 58 个吗?

对了,你真棒!

45

7 58 个珠子，10 个穿一串，能穿几串？

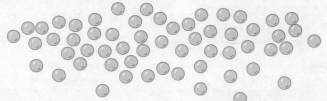

知道了什么？

有 ☐ 个珠子，☐ 个穿一串。

要解决的问题是"能穿几串"。

怎样解答？

我来圈一圈，能穿 5 串。

58 里面有 5 个十和 8 个一，所以能穿 5 串，还剩 8 个。

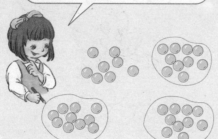

解答正确吗？

5 串是 50 个，还有剩下的 8 个，正好是 58 个。解答正确。

口答：能穿 ☐ 串。

想一想：如果 5 个穿一串，这些珠子能穿几串？

 做一做

82 块饼干，10 块装一袋，可以装满几袋？

_____ 袋

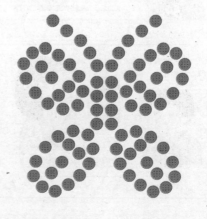

1. 5 个  装一袋，装了 8 袋。如果 10 个装一袋，可以装几袋？

2. 8 个盒子能装下这些杯子吗？

3个

3. 40 个羽毛球能装满几筒？

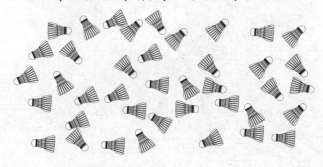

羽毛球 12个

4.　　9+9=　　　　18-6=　　　　　10+9=　　　　11-2=

　　　14-4=　　　　13+5=　　　　　15-10=　　　12-7=

8

$$30 + 2 = \boxed{} \qquad 32 - 2 = \boxed{}$$
$$2 + 30 = \boxed{} \qquad 32 - 30 = \boxed{}$$

做一做

1.

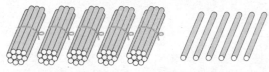

$$\boxed{} + \boxed{} = \boxed{}$$

$$\boxed{} - \boxed{} = \boxed{}$$
$$\boxed{} - \boxed{} = \boxed{}$$

2. 烤玉米。

练 习 十 一

1. $70+8=$ $\qquad$ $40+4=$ $\qquad$ $5+70=$ $\qquad$ $3+90=$

   $78-8=$ $\qquad$ $44-4=$ $\qquad$ $75-70=$ $\qquad$ $93-90=$

   $78-70=$ $\qquad$ $44-40=$ $\qquad$ $75-5=$ $\qquad$ $93-3=$

2. 有50个学生，3个老师。

   每人一瓶矿泉水，55瓶够吗？

3.

   一共29页，我看了9页。

   还有多少页没看？

   □ ○ □ = □ （ 　　 ）

4. $54-4=$ $\qquad$ $2+70=$ $\qquad$ $65-5=$ $\qquad$ $20+6=$

   $90+5=$ $\qquad$ $77-7=$ $\qquad$ $69-60=$ $\qquad$ $28-20=$

   $37-7=$ $\qquad$ $6+70=$ $\qquad$ $34-30=$ $\qquad$ $89-9=$

5.

   我们吃了8条鱼。

   还剩下40条。

   一共钓了多少条鱼？

   □ ○ □ = □ （ 　　 ）

6.

 我们班有 35 人，如果每人一根跳绳，还差 5 根。

我们班有多少根跳绳？　　　　　□ ○ □ = □ （　　）

---

7.  我投了 50 分。

丁丁

佳明

（1）佳明投了多少分？

（2）佳明比丁丁多投了多少分？

---

8. 25 = 20 + □　　　　50 = 51 − □　　　　99 = 90 + □

　　33 = □ + □　　　　60 = 62 − □　　　　78 = □ + □

本单元结束了，
你想说些什么？

百数表里有许多有趣的规律。

成长小档案

我知道"99 添 1 是 100"。

摆一摆，想一想

你们能用 2 个 ● 摆出不同的数吗？

十位	个位	组成的数
●	●	11
●●		20
	●●	2

11
20
2

我来记录。

你们能用 3 个 ● 摆出不同的数吗？你们发现了什么？

十位	个位	组成的数
	●●●	3
●	●●	12

3
12
21

把摆的结果按顺序记录下来就是……

用 4 个 ●、5 个 ●……分别能摆出哪些不同的数？你发现了什么？

不用摆，你能说出用 9 个 ● 可以表示出哪些数吗？

5 认识人民币

认识人民币

1

1元   1分
1角   2分
5角   5分

2 人民币的单位有元、角、分。

1元 = 10角   1角 = 10分

做一做

1. 写出下面的钱数。

（　）元（　）角   （　）角（　）分

（　）元（　）角   （　）元（　）角

2. 1角 = （　）分   20分 = （　）角   1元 = （　）角
    10角 = （　）元   40角 = （　）元   5元 = （　）角

3

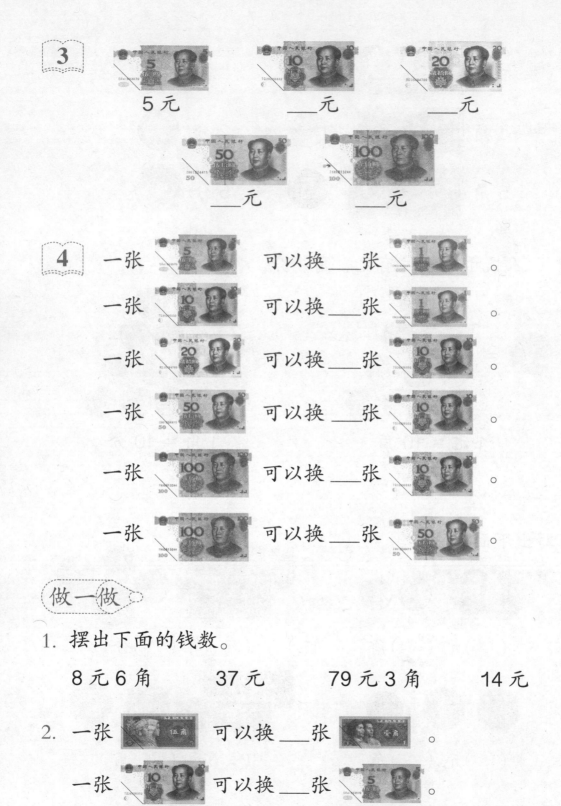

5元　　　　　___元　　　　　___元

___元　　　　　___元

4　一张 [5元] 可以换___张 [1元] 。

一张 [10元] 可以换___张 [1元] 。

一张 [20元] 可以换___张 [10元] 。

一张 [50元] 可以换___张 [10元] 。

一张 [100元] 可以换___张 [10元] 。

一张 [100元] 可以换___张 [50元] 。

做一做

1. 摆出下面的钱数。

8元6角　　　　37元　　　　79元3角　　　　14元

2. 一张 [伍角] 可以换___张 [壹角] 。

一张 [10元] 可以换___张 [5元] 。

一张 [1元] 可以换___张 [伍角] 。

练 习 十 二

1. 把纸币和相应的硬币连起来。

2. 写出下面的钱数。

( )元( )角　　( )元( )角　　( )元( )角

3. 5 角 = ( )分　　80 角 = ( )元　　40 分 = ( )角

6 元 = ( )角　　10 分 = ( )角　　1 元 = ( )分

4. 1 元钱能买什么？

饼干　　　　　　　　　　　　　　练习本　　　　　雪糕

4 角　　　　1 角　　　　5 角　　　　1 元

5. 摆出买下面物品需付的钱。

彩笔

2 元 5 角　　16 元　　3 元 3 角　　58 元

6. 给出的钱能买什么？在能买的物品下画"✓"。

（1）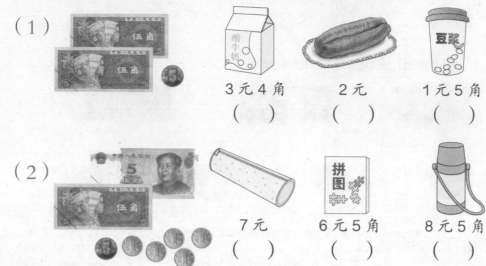

3元4角　　2元　　1元5角
（　　）　（　　）　（　　）

（2）

7元　　6元5角　　8元5角
（　　）　（　　）　（　　）

7. 换一换。

我要换成1元的。

你可以换（　）张1元的。

我要换成50元的。

钱币兑换处

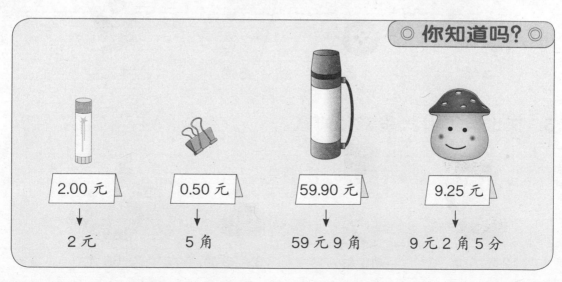

5

1元2角 =（　）角

想：1元可以换成多少个1角？

想一想：18角 =（　）元（　）角

6

5角　　　8角　　　1元　　　6角　　　3元1角

（1）买一个 🎈 和一个 ❤，要多少钱？

5+8=13（角）　　　13角 = 1元3角

（2）🌼 比 🌸 贵多少钱？

1元 = 10角　　　10−6=4（角）

（3）买一个 🌼 和一个 🦢，要多少钱？

1元 +3元1角 = 4元1角

做一做

1. 3元9角 =（　）角　　　　26角 =（　）元（　）角

2.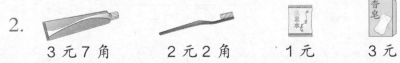

3元7角　　2元2角　　1元　　3元　　9元

（1）🧼 和 📒 一共多少钱？

（2）🪥 比 🧴 贵多少钱？

（3）你还能提出什么数学问题？

7 用 13 元钱正好可以买下面哪两种杂志?

 我是小学生
5元

 画报
6元

 卡通世界
8元

 连环画
7元

知道了什么?

知道了每本杂志的价钱,问题是……

"正好"是什么意思?

怎样解答?

 画报 卡通世界

6元 +8元 =14元

 连环画

7元

比13元多了一点儿,把一本换成便宜点儿的试试。

我先随便选2本,试一试。

13元

我先选定一本,然后按顺序试。

 我是小学生
5元

 画报
6元 ...... 共 11 元

 卡通世界
8元 ...... 共 13 元

 连环画
7元 ...... 共 12 元

你找出的答案是什么?

解答正确吗?

口答:_____ 和 _____。

做一做

16元钱正好能买下面哪两种物品?

 果汁糖
4元

6元

7元

 童话选集
9元

1. 5元5角 = （　　）角　　　14角 = （　　）元（　　）角
   2元8角 = （　　）角　　　69角 = （　　）元（　　）角

2.

6元　　　1元3角　　　6角　　　8角　　　12元

买的物品			
应付的钱数			
付的钱数			
应找的钱数			

3. 9角−2角 = （　　）角　　　7角+6角 = （　　）元（　　）角
   4元+8元 = （　　）元　　5角+1元3角 = （　　）元（　　）角

4. 用10元钱正好能买下面哪两种物品？

2元　　　7元　　　8元　　　5元　　　3元

5. 猜一猜。

可能是1个1元的，也可能是1个5角和……

我的硬币共1元。

6. 在 ◯ 里填上 ">" "<" 或 "="。

5 角 ◯ 5 元　　　　　5 元 6 角 ◯ 6 元 5 角

89 角 ◯ 8 元 9 角　　　10 元 1 角 ◯ 10 元 1 分

3 元 ◯ 2 元 9 角　　　　3 角 4 分 ◯ 3 元 4 角

7.  6 元　　　 2 角　　　 3 元

（1）买一个  和一个 ，一共（　　）元（　　）角。

（2）上面三种物品各买一个，一共（　　）元（　　）角。

（3）李亮买了一个  和一个 ，付给售货员 10 元钱，应找回（　　）元。

8. 在合适的答案下面画 "✓"。

买这个篮球我付了 3 张 ，找回的钱比 5 元少。

篮球的价钱是多少？

49 元	59 元	69 元

本单元结束了，你想说些什么？

成长小档案

★★★★★

换钱的活动真有趣。

我认识了不同面值的人民币。

6 100 以内的加法 和减法（一）

发书了！

环保小卫士 环保小卫士 环保小卫士

10本 10本 10本

1. 整十数加、减整十数

发书了!

10本 10本 10本

$10+20=\square$

十位 个位

1个十加2个十得3个十,是30。

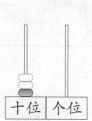

$1+2=3$
$10+20=30$

想一想:$30-20=\square$

你是怎样算的?

做一做

1.

10支 10支 10支 10支

10支 10支

$40+20=\square$
$60-20=\square$
$60-40=\square$

2.　　$3+2=$　　　$4+5=$　　　$6-4=$　　　$7-3=$

　　$30+20=$　　$40+50=$　　$60-40=$　　$70-30=$

练 习 十 四

1. 20＋30＝　　30＋40＝　　50＋30＝　　80＋10＝

　　50－20＝　　70－40＝　　80－30＝　　90－80＝

2.

9＋30＝　　70＋7＝

90－40＝　　20＋20＝

80－80＝　　60－50＝

40＋30＝　　95－5＝

3.

□＋□＝□　　　　　□＋□＝□

4. 　1＋3＋4＝　　　　　9－4－3＝

　10＋30＋40＝　　　　90－40－30＝

5.

50元　　　　40元　　　　30元

（1）买一件 👕 和一条 👖 ，需要多少钱？

（2）付给售货员 100 元，应找回多少钱？

（3）你还能提出什么数学问题？

　　把 10、20、30、40、50 填在右边的○里，使每条直线上三个数的和相等。

2. 两位数加一位数、整十数

我才写了20个字。

我已经写了25个字，还要写2个字。

小林　小红

（1）小林一共要写
　　多少个字？

$$25+2=\boxed{}$$

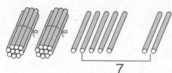

7

$$25+2=27$$

20　5

7

先算5+2。

（2）小林和小红已经
　　写了多少个字？

$$25+20=\boxed{}$$

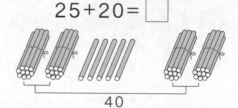

40

$$25+20=45$$

20　5

40

先算20+20。

25+2 和 25+20 计算时有什么不同？

做一做

1.　　5+3=　　　　2+6=　　　40+50=　　　30+10=

　　　35+3=　　　2+86=　　　43+50=　　　30+15=

2.　40+40=　　　20+70=　　　30+50=　　　60+30=

　　48+40=　　　24+70=　　　30+59=　　　60+37=

2

$$24+9=\boxed{}$$

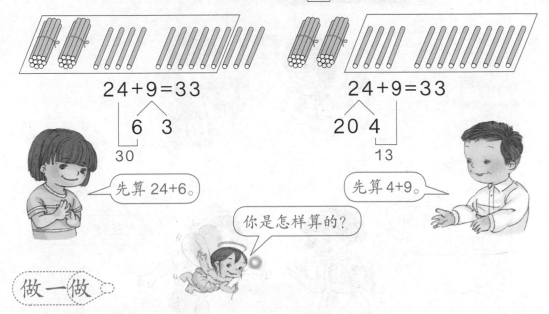

$$24+9=33$$
$$\overset{\displaystyle 6\quad 3}{\underset{30}{}}$$

先算 24+6。

$$24+9=33$$
$$\overset{\displaystyle 20\quad 4}{\underset{13}{}}$$

先算 4+9。

你是怎样算的?

 做一做

1. 先圈一圈, 再计算。

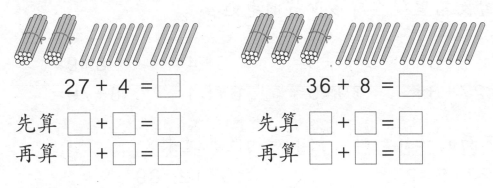

$$27+4=\boxed{}\qquad\qquad 36+8=\boxed{}$$

先算 $\boxed{}+\boxed{}=\boxed{}$　　　　先算 $\boxed{}+\boxed{}=\boxed{}$

再算 $\boxed{}+\boxed{}=\boxed{}$　　　　再算 $\boxed{}+\boxed{}=\boxed{}$

2. $46+7=\qquad 8+63=\qquad 5+35=\qquad 48+9=$

1.　　35+4=　　　　42+3=　　　　5+26=　　　　7+21=

　　　35+40=　　　42+30=　　　50+26=　　　70+21=

2.　64+30=　　　　93+4=　　　　5+31=　　　　58+20=

　　86+2=　　　　20+67=　　　　45+30=　　　　4+72=

3.

一共有多少个学生?

4.

回收箱里现在有多少节旧电池?

5.　　7+6=　　　　9+5=　　　　6+4=　　　　8+9=

　　27+6=　　　　39+5=　　　　6+54=　　　　8+79=

6. 下面的计算对吗? 把不对的改正过来。

　　23+8=21 _____　　　　67+2=89 _____

　　5+47=97 _____　　　　59+2=61 _____

7.

有8只鹅。

有25只鸭。

鸭和鹅一共有多少只?

8. 先说出得数十位上的数,再计算。

13+7=	25+6=	48+4=	79+2=
13+70=	25+60=	48+40=	79+20=

9. 先说出得数,再填空。

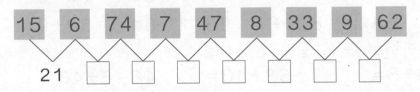

10. 小小邮递员。

11.
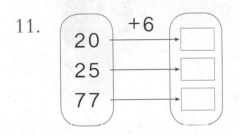
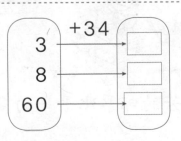

12. 6 连续加 6，写出每次加得的和。

6 <u>12</u> ___ ___ ___ ___ ___

8 连续加 8，写出每次加得的和。

8 <u>16</u> ___ ___ ___ ___ ___

13.
 35 只蚂蚁在做操。

一共有多少只蚂蚁？

14. 在 ◯ 里填上 ">" "<" 或 "="。

26+9 ◯ 36   34+7 ◯ 40   86 ◯ 76+8

49+5 ◯ 54   88+6 ◯ 93   61 ◯ 53+9

15. 24+30+5=   7+53+10=   46-6+40=

26+3+8=   34+8+50=   73+20-3=

16. 下面是两个同学投飞镖的情况，谁的得分多？

小军   小红

我给你 3 枚，我们的邮票就一样多了。

平平   芳芳

原来芳芳的邮票比平平的多几枚？

3. 两位数减一位数、整十数

有35本故事书，借出2本。

有35本动漫书，借出20本。

（1）还剩多少本故事书？　　　　（2）还剩多少本动漫书？

$$35 - 2 = \boxed{}$$ 　　　　$$35 - 20 = \boxed{}$$

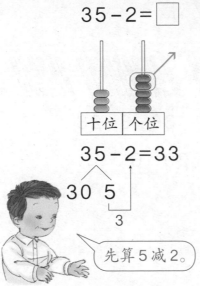

十位　个位

$$35 - 2 = 33$$

30　5

3

先算5减2。

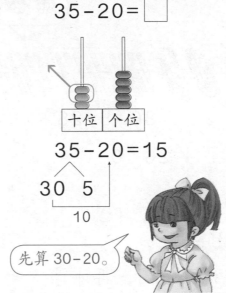

十位　个位

$$35 - 20 = 15$$

30　5

10

先算30-20。

35-2和35-20计算时有什么不同？

做一做

1.　　$6-4=$　　　　$9-5=$　　　　$7-3=$　　　　$8-2=$

　　　$26-4=$　　　$49-5=$　　　$87-3=$　　　$38-2=$

2.　$30-10=$　　$50-20=$　　$70-40=$　　$60-50=$

　　$38-10=$　　$57-20=$　　$76-40=$　　$69-50=$

我们班借8个足球。

36 个

还剩多少个足球？

$$36-8=\boxed{}$$

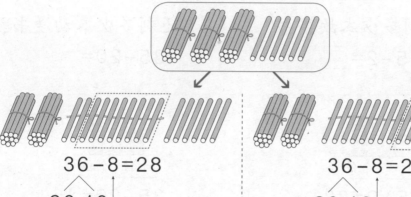

36-8=28
26 10
2

36-8=28
20 16
8

做一做

1. 先圈一圈，再计算。

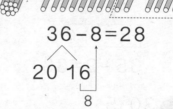

32 - 5 = □

先算 □ - □ = □

再算 □ + □ = □

44 - 9 = □

先算 □ - □ = □

再算 □ + □ = □

2. 　30-6= ＿＿＿　　想：0减6不够减，先算什么？
20 10　　　　　　　　　　再算什么？

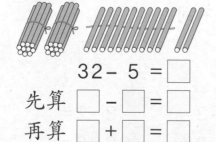

1.　57－3=　　　65－4=　　　89－7=　　　37－5=

　　99－8=　　　48－6=　　　26－2=　　　75－4=

2.　63－20=　　　37－4=　　　59－30=　　　84－4=

　　46－3=　　　72－50=　　　28－7=　　　96－60=

3.

一共摘了68箱。
还剩下5箱。

运走了多少箱?

4.

今天是学校开放日，
要来48位家长。

已经放了30把椅子。

还缺多少把椅子?

5.　10－6=　　　14－7=　　　15－9=　　　13－8=

　　50－6=　　　34－7=　　　85－9=　　　63－8=

6. 下面的计算对吗？把不对的改正过来。

   48-5=33 ＿＿＿＿＿   43-7=36 ＿＿＿＿＿
   74-6=14 ＿＿＿＿＿   52-9=53 ＿＿＿＿＿

7. 湖边有22只船。

划走7只。

还剩多少只？

8. 先说出得数十位上的数，再计算。

   74-6=   60-3=   92-7=   53-4=
   74-60=   60-30=   92-70=   53-40=

9.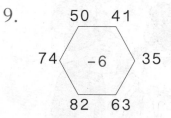

   50 41
   74 -6 35
   82 63

   70 27
   43 -8 95
   53 84

10. 在 ◯ 里填上 ">" "<" 或 "="。

    39-4 ◯ 36   68-40 ◯ 28   76-8 ◯ 67
    87-30 ◯ 49   94-7 ◯ 88   53-9 ◯ 45

11.

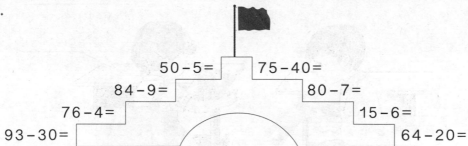

50-5=　　75-40=
84-9=　　80-7=
76-4=　　15-6=
93-30=　　64-20=

12. 70连续减7，写出每次减得的差。

70　63　___　___　___　___　___　___　___

90连续减9，写出每次减得的差。

90　81　___　___　___　___　___　___　___

13.

8元一个。

8元

应找回多少钱？

14. 31 $\xrightarrow{+20}$ □ $\xrightarrow{-6}$ □ $\xrightarrow{+9}$ □ $\xrightarrow{-30}$ □

60 $\xrightarrow{-8}$ □ $\xrightarrow{-5}$ □ $\xrightarrow{+40}$ □ $\xrightarrow{+7}$ □

15.* 在同一个算式的 □ 里填上相同的数。

30- □ =22+ □ 　　51+ □ =65- □

跳绳比赛中，小红和参加比赛的每个人握一次手，一共握了39次。参加跳绳比赛的一共有多少人？

还剩几个 ☆ ?

$$10 - 2 - 3 = 5$$

8

也可以先算一共剪掉几个，再算还剩几个。

可以这样列式：

$$10 - (2+3) = 5$$

5

做一做

说一说下面各题应先算什么，再计算。

12 - 5 + 4 = _____   14 - 9 - 3 = _____

12 - (5+4) = _____   14 - (9-3) = _____

练 习 十 七

1. 算一算，比一比。

$8+ 4+7 =$　　　　$13- 6+3 =$

$8+(4+7)=$　　　　$13-(6+3)=$

2. 　　$5+(2+3)=$　　　　$7+(14-9)=$

　　$40+20+8=$　　　　$90-(16+4)=$

---

3. 超市运进 45 箱苹果。

上午卖出 5 箱，
下午卖出 3 箱。

超市还有多少箱苹果？

---

4. $54- 5+30 =$　　　　$76- 6-8 =$

　　$87- 9-10 =$　　　　$65- 7-40=$

　　$43-(3+27)=$　　　　$39-(9-5)=$

---

5. 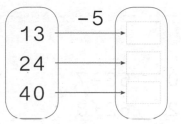　　　　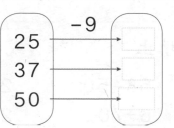

6.

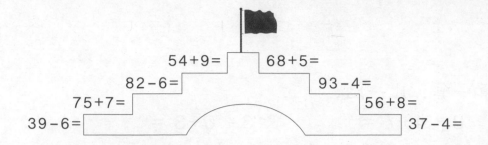

54+9=　　68+5=

82-6=　　　93-4=

75+7=　　　　56+8=

39-6=　　　　　37-4=

7.

已经检查了40人，其中6人近视。

共有72人。

（1）还有多少人没有检查？

（2）你还能提出什么数学问题？

8.　36+ 40+2 =

　　59- 9-20 =

　　63- 30+5 =

　　30+(11-4)=

　　47+(18-9)=

　　40+(15-8)=

　　75-(10+50)=

9.

10. 在 ◯ 里填上 ">" "<" 或 "="。

58-5 ◯ 58-50　　　26+30 ◯ 63-7

96-70 ◯ 6+70　　　20+62 ◯ 62+8

4 3个同学一起折小星星，每人折了6个。

佳佳　　　　　　　　　　　　　浩浩　　　　　　　　　　　小芳

他们一共折了多少个小星星？

知道了什么？

有3人折小星星。

每人折了6个。

问题是……

怎样解答？

可以用加法解答。

我列表解答。

人数	1	2	3
☆数	6	12	18

6+6+6=18（个）

解答正确吗？

检查一下解答过程。

口答：他们一共折了 □ 个小星星。

做一做

爸爸买了3袋苹果，每袋8个，一共买了多少个苹果？

28 个橘子，9 个装一袋，可以装满几袋？

知道了什么？

有 28 个橘子，每 9 个装一袋。

问题是……

怎样解答？

也可以用减法解答。

可以 9 个 9 个地圈一圈。

$$28 \xrightarrow{-9} 19 \xrightarrow{-9} 10 \xrightarrow{-9} 1$$

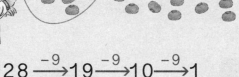

解答正确吗？

用加法检查一下，3 袋 27 个，加上剩下的 1 个，正好 28 个。

口答：可以装满 □ 袋，还剩 □ 个。

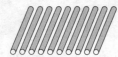做一做

用 30 根小棒拼右面的图形，最多可以拼几个？

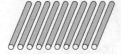 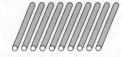

练 习 十 八

1. 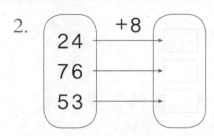 3箱一共有多少袋牛奶？

2.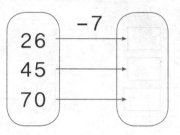

3.

3片 装一个吊扇。

这些 可以装几个吊扇？

4. 不计算，你能在○里填上"＞""＜"或"＝"吗？

   73+5 ○ 37+5   48-7 ○ 48-9

   56-20 ○ 56-2   72+8 ○ 8+72

5. 找朋友。

6. 　　14+6+42=　　　　56+5-20=　　　　60-8-30=
　　　48+(18-9)=　　　17+(54-4)=　　　73-(13+7)=

7.
找你7元。

给您30元。

买一本《少儿百科》。

一本《少儿百科》多少钱?

8.
分给17个小朋友。

每个小朋友分
一块，够吗?

9. 下面是李平家养家禽（qín）的情况。

鸭	鹅	鸡
20只	8只	45只

（1）鹅比鸭少多少只?

（2）鸡比鸭多多少只?

（3）你还能提出其他数学问题吗?

10.
一班30人，二班
32人，三班30人。

限载乘客60人

哪两个班的学生可以一起乘船?

整理和复习

1. 57+2＝   57+20＝   57+9＝

    75+2＝   75+20＝   75+9＝

   （1）哪些算式中的7和2可以直接相加？说明理由。

   （2）说一说你是怎样计算57+9和75+9的。

2. 57-2＝   57-20＝   57-9＝

    75-2＝   75-20＝   75-9＝

   （1）哪些算式中的7和2可以直接相减？说明理由。

   （2）说一说你是怎样计算57-9和75-9的。

3. 说一说各题应先算什么，再计算。

     13+7+54＝   67-8-50＝

     38+（46+4）＝   83-（27-20）＝

4.

    一共有多少人在打乒乓球？

可以数一数，也可以……

1.

4	+36 →	☐
50	→	☐
9	→	☐

28	−6 →	☐
45	→	☐
70	→	☐

2.

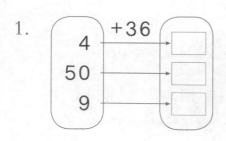 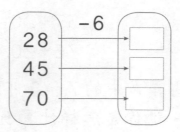

82−5=　　58−20=

50+16=　　65−7=

97−60=　　36+7=

25+8=　　39+40=

3.　　17+6+8=　　　　43−8−30=

60+ 38−90=　　　　50+ 27−9=

54+(17+3)=　　　93−(68−60)=

4. 图书室一共有96本书，其中故事书有30本。上周共借出4本书，图书室还剩多少本书？

5. 小马过河。

76−4　　93−30　　56+9　　60+(14−7)

58−(26+4)　　83−20+5　　34+20

6.

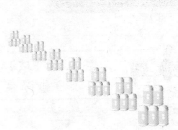

（1）小平打中了（　　）个。

（2）小云打中了（　　）个。

7.

做一个毽子要用4根 🪶。

18根 🪶 最多可以做几个毽子？

8.

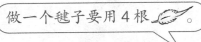

我跳了50下。

我跳了56下。

小清　　　　　　　　兰兰

兰兰比小清多跳了几下？

9.

$37-4+5$　$48+20+7$　$20+8+6$　$38-(30+8)$　$50+17-7$

10.

（1）佳佳和小亮一共擦了多少张课桌？

（2）你还能提出其他数学问题吗？

11. 看谁算得都对。

14+8 ◯ ___ –7 ◯ ___ +30 ◯ ___ –9 ◯ ___ –20 ◯ ___ +4 ◯ ___

12. 有24箱苹果。

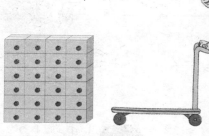

我每次运8箱。

需要几次才能把苹果全部运走？

13.* 在 □ 里填上合适的数。

36+ □ =43   □ –50=16   25+ □ =25– □

10+30 > □   □ –8 < 28   □ + 9 >24

本单元结束了，
你想说些什么？

我发现用连加或连减
的方法可以解决问题。

成长小档案

我知道了小括号
的作用。

84

7 找规律

图中的人和物都是按规律排列的。

小旗的规律是1面▼、1面▼，又1面▼、1面▼……

小旗的规律是按▼▼重复排列。

说出图中其他的排列规律，圈出重复的部分。

做一做

按自己喜欢的规律涂色。

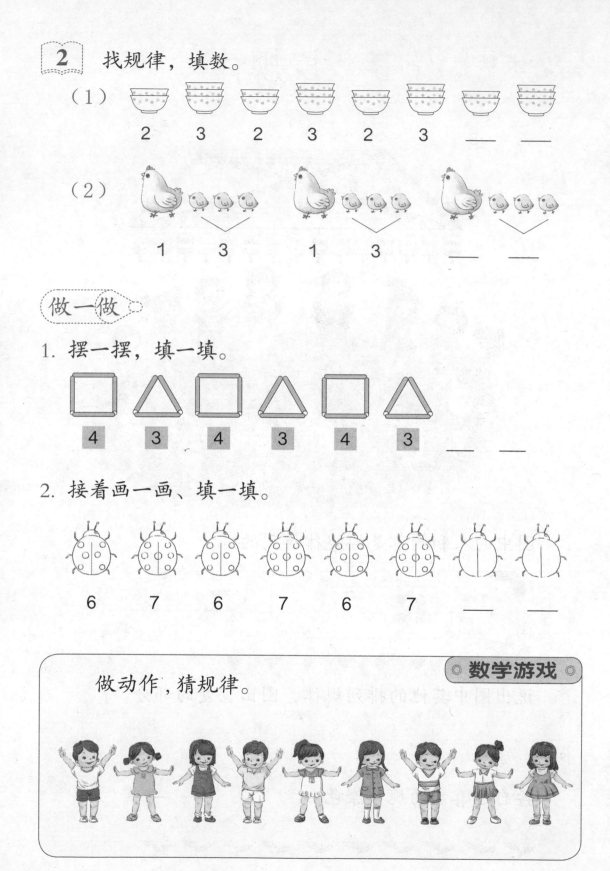

2 找规律，填数。

（1） 2 3 2 3 2 3 ___ ___

（2） 1 3 1 3 ___ ___

做一做

1. 摆一摆，填一填。

4 3 4 3 4 3 ___ ___

2. 接着画一画、填一填。

6 7 6 7 6 7 ___ ___

数学游戏

做动作，猜规律。

3 找规律，填数。

接着该填什么数？

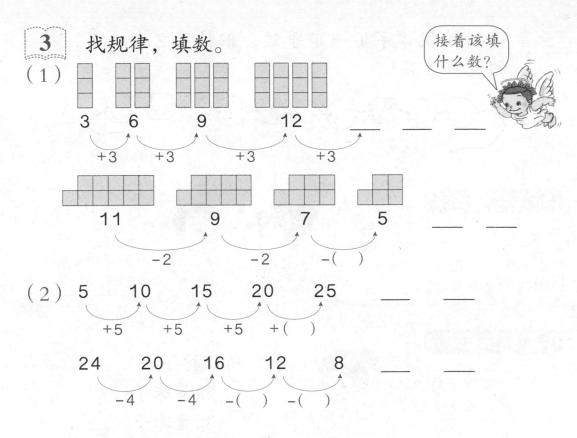

（1）

3　　6　　9　　12　　___　___　___

　　+3　　+3　　+3　　+3

11　　9　　7　　5　　___　___

　　-2　　-2　　-( )

（2）5　　10　　15　　20　　25　　___　___

　　+5　　+5　　+5　　+( )

24　　20　　16　　12　　8　　___　___

　　-4　　-4　　-( )　　-( )

4 找规律，填数。

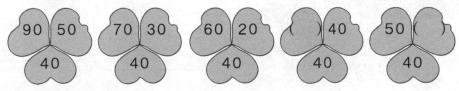

说一说你发现的规律。

 做一做

1. 按规律填出下一个数。

　　1　　5　　9　　13　　___

　　42　　32　　22　　12　　___

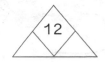说一说你是怎样想的。

2. 找规律，填数。

5 小红按规律穿了一串手链，但掉了 2 颗珠子，掉的是哪 2 颗？

知道了什么？

这串手链是用 2 颗 ◯、1 颗 ●，2 颗 ◯、1 颗 ●……穿起来的，但掉了 ☐ 颗珠子。

问掉的是哪 2 颗。

怎样解答？

她穿珠子的规律是……

所以掉了
☐ 颗黄珠子，
☐ 颗蓝珠子。

解答正确吗？

摆出她穿的手链，看符不符合她穿的规律。

做一做

小英穿了一串手链，但掉了 3 颗珠子，掉的是哪 3 颗？

88

练 习 二 十

1. 划去不符合规律的图形或文字, 圈出正确的。

（1）

（2）

2. 找规律, 填数。

5   3   ___   ___   ___   ___   ___   ___

3. 按规律接着涂一涂、画一画、填一填。

1   2   3   4   ___   ___   ___   ___

10   8   6   ___   ___

4. 根据规律画出被挡住部分的珠子。

5. 找规律填数。

7   11   15   ___   ___   27   31   35

36   30   24   18   ___   ___   ___

6. 按规律填数。

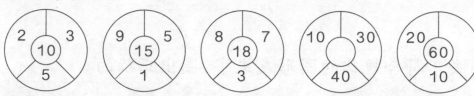

---

7. 找规律填数，再计算。

$4 + 4 + 4 =$ $12 - 4 - 4 - 4 =$

$5 + 5 + 5 =$ $15 - 5 - 5 - 5 =$

$\square + \square + \square =$ $18 - \square - \square - \square =$

---

8. 按规律接着画。

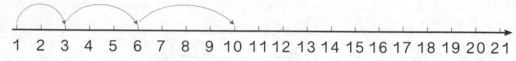

1 2 3 4 5 6 7 8 9 10 11 12 13 14 15 16 17 18 19 20 21

---

9. 小明穿的手链还缺 2 颗珠子，他需要 2 颗什么形状的珠子？

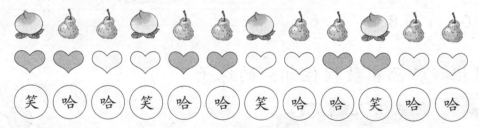

---

10. 哪两行的规律相同？

---

11. 下面各题中都有一个数不符合规律，把它圈起来，并改正在横线上。

  5   10   15   16   25   30   ____

 88   77   66   55   45   33   ____

 13   23   33   43   53   73   ____

12. 下面是 1~100 的百数表的一部分。

1	2	3	4	5	6	7	8	9	10
11	12	13	14	15	16	17	18	19	20
21	22	23	24	25					

下面是从百数表中取出来的一些数，请根据百数表的顺序，填写空格里的数。

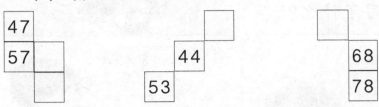

13. 第 10 面旗是什么颜色的？在后面圈出来。

在右图方格中画■、▲、●，使每行、每列都有这三种图形。

成长小档案

这学期学习了什么?

学习了 100 以内
的加减法……

23+40=63

47+8=55

80-4=76

认识了人
民币……

认识了长方形、
正方形……

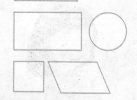

学会了分
类统计。

学习中最有趣的事情是什么?

数数时可以 5 个 5
个地数,比较快。

用七巧板可以拼出
很多有趣的图案。

1. 仔细观察下表，完成表后的问题。

0	1	2	3	4	5	6	7	8	9
10	11		13		15			18	19
		22					27		
30			33			36			
				44	45				
50				54	55				
60			63			66			
		72							
80	81							88	
90									99

（1）填写空格中的数。

（2）与第 41 页的百数表比一比，说说有什么不同。

（3）第 7 行，从右数第 5 个数是（   ），它是由
（   ）个十和（   ）个一组成的。

（4）说说表中数的排列有什么规律，按照规律填写
下面空格中的数。

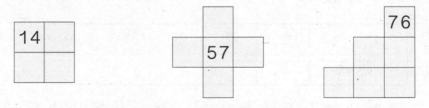

（5）从第 1 行任意选一个数，再从第 8 行任意选一
个数，分别求出两个数的和与差。

（6）从第 1 列任意选一个数，再从第 9 行任意选一
个数，求出两个数的差。

2.

（1）用 4 个 █ 可以拼成什么图形？试着拼一拼。

（2）你能用学过的图形拼出一个有趣的图案吗？

3.

（1）按颜色把上面的卡片分一分，并统计出每种颜色的卡片数量。

	红	绿	蓝	黄	粉
张数					

（2）按形状把上面的卡片分一分，并统计出每种形状的卡片数量。

	▭	⬜	△	○	▱
张数					

（3）自己定一个标准，把上面的卡片分成两类。

练 习 二 十 一

1.

26		28			51		49	

2. （1）46 里面有（   ）个十和（   ）个一。

   （2）一个两位数，个位上和十位上的数都是 9，这个
   数是（   ），比这个数多 1 的数是（   ）。

3. 先写数，再比较大小。

   五十五   五   五十七   七十五   十五   五十

   （   ）   （   ）   （   ）   （   ）   （   ）   （   ）

   （   ）<（   ）<（   ）<（   ）<（   ）<（   ）

4.

84-60=   79-40=

20+45=   37+50=

63-6=   80-8=

48+2=   25+9=

5. 在○里填上 ">" "<" 或 "="。

   39-4 ○ 35   35+20 ○ 32   76-6 ○ 86

   66-30 ○ 63   56-40 ○ 69   81+7 ○ 87

6.

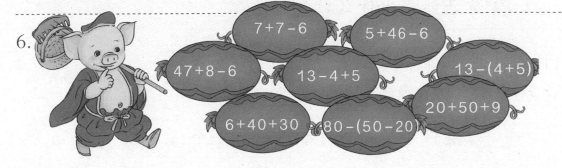

7+7-6   5+46-6

47+8-6   13-4+5   13-(4+5)

                                    20+50+9

6+40+30   80-(50-20)

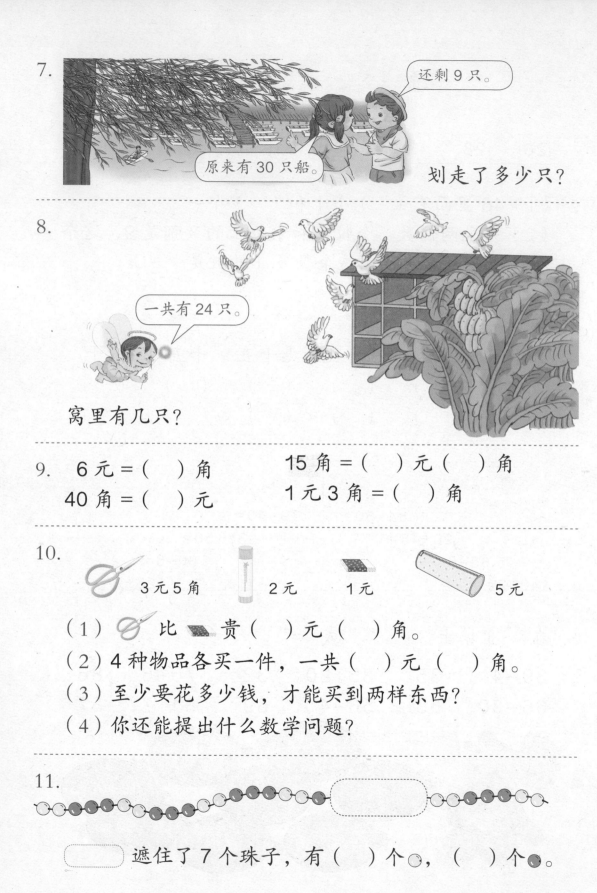

7. 还剩 9 只。

原来有 30 只船。

划走了多少只？

8. 一共有 24 只。

窝里有几只？

9. 6 元 = （ ）角

40 角 = （ ）元

15 角 = （ ）元（ ）角

1 元 3 角 = （ ）角

10. 3 元 5 角　　2 元　　1 元　　5 元

（1） ✂ 比 ▨ 贵（ ）元（ ）角。

（2）4 种物品各买一件，一共（ ）元（ ）角。

（3）至少要花多少钱，才能买到两样东西？

（4）你还能提出什么数学问题？

11. 遮住了 7 个珠子，有（ ）个 ○，（ ）个 ●。

12. 按规律填数。

    （1） 12 14 16 18 ___ ___ ___

    （2） 70 65 60 55 ___ ___ ___

    （3）
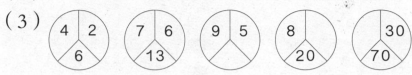

13. 想一想，填一填。

6	12	18	24	30
16	22	28		40
26			44	
	42	48		
46				70

14. 先填表，再回答问题。

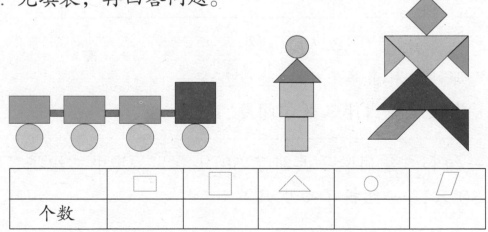

	▭	□	△	○	▱
个数					

    （1）哪种图形的数量最多？哪种最少？

    （2）一共有多少个图形？

    （3）小明摆了 4 个 ，一共用了多少个 ○ ？

    （4）你还能提出什么数学问题？

15. 整理餐（cān）桌。

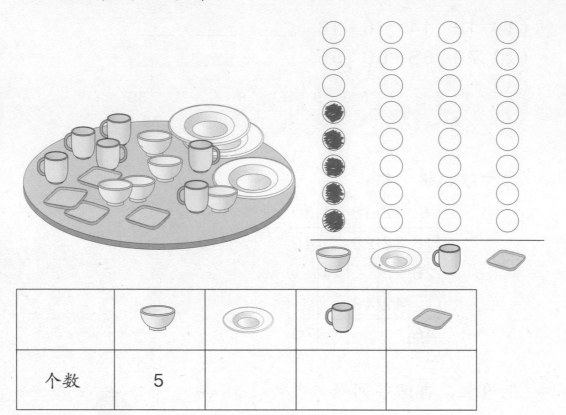

个数	5			

（1）🥣 比 🍽 多（　　）个。

（2）哪种餐具最多？哪种最少？

（3）你还能提出什么数学问题？

16. 一组和二组同学一共折了 58 只 ✦，其中二组折了 30 只，一组折了多少只？

17.

游泳的有 7 个小孩和 25 个大人。

我们有 3 个救生员。

（1）游泳池里的大人比小孩多多少人？

（2）你还能提出什么数学问题？

18. 车上原有 34 人。

下去了 9 人。

上来了 5 人。

中山站

车上现在有多少人？

19.

每盒装 8 个。

一共可以装满几盒？

50 个

20.

25

5

8

24

4

26

3

我得了 28 分。

我得了 30 分。

小平

小英

小英可能套中了哪两个玩具？小平呢？

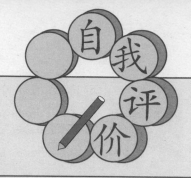
自我评价

同学们，这学期要结束了，给自己的表现画上小红花吧！

学习表现	🌸🌸🌸	🌸🌸	🌸
喜欢学习数学			
愿意参加数学活动			
上课专心听讲			
积极思考老师提出的问题			
主动举手发言			
喜欢发现数学问题			
愿意和同学讨论学习中的问题			
敢于把自己的想法讲给同学听			
认真完成作业			

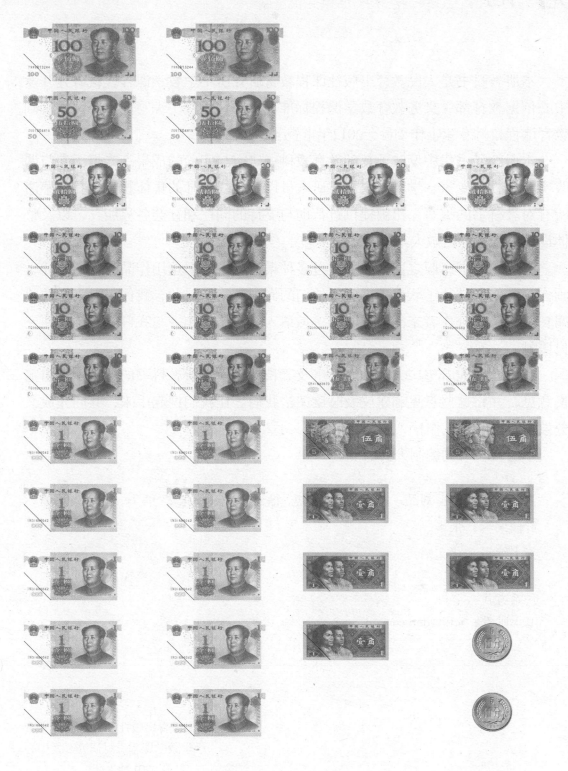

后 记

　　本册教科书是人民教育出版社课程教材研究所小学数学课程教材研究开发中心依据教育部《义务教育数学课程标准》（2011年版）编写的，经国家基础教育课程教材专家工作委员会2012年审查通过。

　　本册教科书集中反映了基础教育教科书研究与实验的成果，凝聚了参与课改实验的教育专家、学科专家、教研人员以及一线教师的集体智慧。我们感谢所有对教科书的编写、出版提供过帮助与支持的同仁和社会各界朋友，以及整体设计艺术指导吕敬人等。

　　本册教科书出版之前，我们通过多种渠道与教科书选用作品（包括照片、画作）的作者进行了联系，得到了他们的大力支持。对此，我们表示衷心的感谢！但仍有部分作者未能取得联系，恳请入选作品的作者与我们联系，以便支付稿酬。

　　我们真诚地希望广大教师、学生及家长在使用本册教科书的过程中提出宝贵意见，并将这些意见和建议及时反馈给我们。让我们携起手来，共同完成义务教育教材建设工作！

　　本册教科书的编制人员如下。

主要编写人员：刘品一　袁玉霞　丁国忠　徐云鸿　宋琦　张华　熊华　刘丽　刘福林
责任编辑：张华
美术编辑：郑文娟

联系方式
电子邮件：jcfk@pep.com.cn

人民教育出版社 课程教材研究所
小学数学课程教材研究开发中心
2012年8月